L'é
cro

texte de Roald Dahl
illustrations de Quentin Blake
traduction de Odile George et
Patrick Jusserand

Gallimard

pour SOPHIE

Au milieu de la plus grande, la plus noire,
la plus boueuse rivière d'Afrique, deux
crocodiles se prélassaient,
la tête à fleur d'eau.
L'un des crocodiles était énorme.
L'autre n'était pas si gros.
« Sais-tu ce que j'aimerais
pour mon déjeuner aujourd'hui ?
demanda l'Énorme Crocodile.
– Non, dit le Pas-si-Gros. Quoi ? »

L'Énorme Crocodile s'esclaffa, découvrant
des centaines de dents blanches et pointues.
« Pour mon déjeuner aujourd'hui, reprit-il,
j'aimerais un joli petit garçon bien juteux.
– Je ne mange jamais d'enfants,
dit le Pas-si-Gros. Seulement du poisson.
– Ho, ho, ho ! s'écria l'Énorme Crocodile.
Je suis prêt à parier que si tu voyais,

à ce moment précis, un petit garçon dodu
et bien juteux barboter dans l'eau,
tu n'en ferais qu'une bouchée !
– Certes pas ! répondit le Pas-si-Gros.
Les enfants sont trop coriaces
et trop élastiques.

Ils sont coriaces, élastiques, écœurants
et amers.
— Coriaces ! élastiques !!
s'offusqua l'Énorme Crocodile.
Écœurants ! amers !!!
tu racontes des bêtises grosses comme toi.
Ils sont juteux et délicieux !
— Ils ont un goût si amer,
insista le Pas-si-Gros,
qu'il faut les enduire de sucre
avant de les consommer.
— Les enfants sont plus gros que les poissons,
rétorqua l'Énorme Crocodile.
Ça te fait de plus grosses parts.

— Tu es un sale glouton, lança le Pas-si-Gros.
Tu es le croco le plus glouton de toute la
rivière.

— Je suis le croco le plus audacieux
de toute la rivière, affirma l'Énorme.
Je suis le seul à oser quitter la rivière,
traverser la jungle jusqu'à la ville
pour y chercher des petits enfants à manger.

— Ça ne t'est arrivé qu'une seule fois,
grogna le Pas-si-Gros.
Et que se passa-t-il alors ?
Tous les enfants t'ont vu venir et se sont
enfuis.

— Oh mais, aujourd'hui, il n'est pas question
qu'ils me voient, répliqua
l'Énorme Crocodile.

— Bien sûr qu'ils te verront,

reprit le Pas-si-Gros, tu es si énorme et si laid
qu'ils t'apercevront à des kilomètres. »
L'Énorme Crocodile s'esclaffa de nouveau,
et ses terribles dents blanches et pointues
étincelèrent comme des couteaux au soleil.
« Personne ne me verra, dit-il, parce que
cette fois, j'ai dressé des plans secrets
et mis au point des ruses habiles.

– Des ruses habiles ? s'écria le Pas-si-Gros.
Tu n'as jamais rien fait d'habile de toute ta vie !
Tu es le plus stupide croco de toute la rivière !
– Je suis le croco le plus malin de toute
la rivière, répondit l'Énorme Crocodile.
Ce midi, je me régalerai d'un petit enfant
dodu et bien juteux pendant que toi,
tu resteras ici, le ventre vide. Au revoir. »

L'Énorme Crocodile gagna la rive et se hissa hors de l'eau. Une gigantesque créature pataugeait dans la boue visqueuse de la berge.

C'était Double-Croupe, l'hippopotame.

« Salut, salut ! dit Double-Croupe. Où vas-tu à cette heure du jour ?

– J'ai dressé des plans secrets et mis au point des ruses habiles.

– Hélas ! s'exclama Double-Croupe, je jurerais que tu as en tête quelque horrible projet. »

L'Énorme Crocodile rit à belles dents :

J'vais remplir mon ventre affamé et creux
Avec un truc délicieux, délicieux.

« Qu'est-ce qui est si délicieux ? interrogea Double-Croupe.

— Devine, lança le Crocodile.
C'est quelque chose qui marche sur deux
jambes.
— Tu ne veux pas dire…,
s'inquiéta Double-Croupe.
Tu ne vas pas me dire
que tu veux manger un enfant !
— Mais si ! acquiesça le Crocodile.
— Ah le sale vorace ! la sombre brute !
s'emporta Double-Croupe.
J'espère que tu seras capturé,
qu'on te fera cuire et que tu seras transformé
en soupe de crocodile !!! »
L'Énorme Crocodile partit d'un rire bruyant
et moqueur, puis il s'enfonça dans la jungle.

Dans la jungle, il rencontra Trompette,
l'éléphant. Trompette grignotait des feuilles
cueillies à la cime d'un grand arbre et il ne
remarqua pas tout d'abord le Crocodile.
Aussi ce dernier le mordit-il à la jambe.
« Eh, s'offusqua Trompette de sa grosse
voix profonde. Qui se permet ?
Ah, c'est toi, affreux Crocodile.
Pourquoi ne retournes-tu pas à cette grande
rivière noire et boueuse d'où tu viens ?
— J'ai dressé des plans secrets et mis au point
des ruses habiles, dit le Crocodile.
— Tu veux dire de sombres plans
et des ruses sournoises,
insinua Trompette. De ta vie,
tu n'as accompli une seule bonne action. »

L'Énorme Crocodile s'esclaffa :

J'suis d'sortie pour trouver
un gosse à croquer.
Tends l'oreille et t'entendras les os craquer !

« Ah, quelle brute épaisse ! »
s'emporta Trompette.
Ah, quel infect, ignoble monstre !
Je voudrais que tu sois brisé et broyé,
bouilli et réduit en ragoût de crocodile ! »
L'Énorme Crocodile partit d'un rire bruyant
et moqueur et s'enfonça dans l'épaisse jungle.

Un peu plus loin, il rencontra
Jojo-la-Malice, le singe.
Jojo-la-Malice, perché sur un arbre,
mangeait des noisettes.
« Salut, Croquette, dit Jojo-la-Malice.
Qu'est-ce que tu fabriques ?
   — J'ai dressé des plans secrets
et mis au point des ruses habiles.
   — Veux-tu des noisettes ? demanda
Jojo-la-Malice.
   — J'ai mieux que ça, dit le Crocodile
avec dédain.

— Y a-t-il quelque chose de meilleur
que les noisettes ? interrogea Jojo-la-Malice.
— Ha, ha ! fit l'Énorme Crocodile.

**L'aliment que je m'en vais consommer
Possède doigts, ongles, bras, jambes, pieds !**

Jojo-la-Malice pâlit et frémit
de la tête aux pieds.
« Tu n'as pas réellement l'intention
d'engloutir un enfant, non ? s'effraya-t-il.
— Bien sûr que si, assura le Crocodile.
Les vêtements et tout.
C'est meilleur avec les vêtements.
— Oh, l'horrible goinfre, s'indigna
Jojo-la-Malice.
Le répugnant personnage !
Je voudrais que boutons et boucles te restent
en travers de la gorge et t'étouffent ! »

Le Crocodile s'esclaffa :
« Je mange également les singes. »
Et, rapide comme l'éclair, d'un coup sec
de ses terribles mâchoires, il brisa l'arbre
sur lequel se tenait Jojo-la-Malice.
L'arbre s'écrasa au sol, mais Jojo-la-Malice
bondit à temps vers les branches voisines,
et s'enfuit dans le feuillage.

Un peu plus loin, l'Énorme Crocodile rencontra
Dodu-de-la-Plume, l'oiseau.
Dodu-de-la-Plume bâtissait un nid
dans un oranger.
« Salut à toi, Énorme Crocodile !
chanta Dodu-de-la-Plume.
On ne te voit pas souvent par ici.
 — Ah, dit le Crocodile. J'ai dressé
des plans secrets et mis au point
des ruses habiles.
 — Rien de mauvais ?
chanta Dodu-de-la-Plume.
 — Mauvais ! ricana le Crocodile.
Sûrement pas mauvais ! au contraire,
c'est délicieux !

C'est succulent, c'est super,
C'est fondant, c'est hyper !
Et c'est bien meilleur
qu'du vieux poisson pourri
Ça s'écrase et ça craque,
Ça s'mastique et ça se croque !
D'l'entendre crisser sous la dent c'est joli

— Ce doit être des baies, siffla
Dodu-de-la-Plume.
Pour moi, les baies, c'est ce qu'il y a
de meilleur au monde.
Peut-être des framboises ? Ou des fraises ? »
L'Énorme Crocodile éclata d'un si grand rire
que ses dents cliquetèrent telles des pièces
dans une tirelire.
« Les crocodiles ne mangent pas de baies,
affirma-t-il. Nous mangeons les petits garçons
et les petites filles. Parfois, aussi, les oiseaux. »
D'une brusque détente, il se dressa et lança
ses mâchoires vers Dodu-de-la-Plume.
Il le manqua de peu mais parvint à saisir les
longues et magnifiques plumes de sa queue.
Dodu-de-la-Plume poussa un cri d'horreur
et fendit l'air comme une flèche, abandonnant
les plumes de sa queue dans la gueule
de l'Énorme Crocodile.

Finalement, l'Énorme Crocodile parvint de
l'autre côté de la jungle, dans un rayon
de soleil.
Il pouvait apercevoir la ville, toute proche.
« Ho, ho ! se confia-t-il à haute voix, ha, ha !
Cette marche à travers la jungle m'a donné
une faim de loup. Un enfant, ça ne me suffira
pas aujourd'hui. Je ne serai rassasié qu'après
en avoir dévoré au moins trois, bien juteux ! »
Il se mit à ramper en direction de la ville.

L'Énorme Crocodile parvint à un endroit
où il y avait de nombreux cocotiers.
Il savait que les enfants y venaient souvent
chercher des noix de coco. Les arbres étaient
trop grands pour qu'ils puissent y grimper,
mais il y avait toujours des noix de coco à terre.
L'Énorme Crocodile ramassa à la hâte toutes
celles qui jonchaient le sol, ainsi que plusieurs
branches cassées.
« Et maintenant, passons au piège subtil n°1,
murmura-t-il, je n'aurai pas à attendre
longtemps avant de goûter au premier plat. »
Il rassembla les branches ELMWOOD

et les serra entre ses dents. Il recueillit les
noix de coco dans ses pattes de devant.
Puis il se dressa en prenant équilibre
sur sa queue.

Il avait disposé les branches et les noix
de coco si habilement qu'il ressemblait
à présent à un petit cocotier perdu parmi
de grands cocotiers.
Bientôt arrivèrent deux enfants :
le frère et la sœur. Le garçon s'appelait Julien ;
la fillette, Marie. Ils inspectèrent les lieux,
à la recherche de noix de coco,

mais ils n'en purent trouver aucune, car
l'Énorme Crocodile les avait toutes ramassées.
« Eh regarde ! cria Julien. Cet arbre, là-bas,
est beaucoup plus petit que les autres
et il est couvert de noix de coco !
Je dois pouvoir y grimper si tu me donnes
un coup de main. »
Julien et Marie se précipitent vers
ce qu'ils pensent être un petit cocotier.
L'Énorme Crocodile épie à travers les
branches, suivant des yeux les enfants
à mesure qu'ils approchent. Il se lèche les
babines. Le voilà qui bave d'excitation...
Soudain, il y eut un fracas de tonnerre !
C'était Double-Croupe, l'hippopotame.
Crachant et soufflant, il sortit de la jungle.
Tête baissée, il arrivait à fond de train !
« Attention, Julien ! hurla Double-Croupe.
Attention, Marie ! ce n'est pas un cocotier !
c'est l'Énorme Crocodile qui veut vous
manger ! »

Double-Croupe chargea droit sur l'Énorme
Crocodile. Il le frappa de sa tête puissante
et le fit valdinguer et glisser sur le sol.
« Aouh !... gémit le crocodile. Au secours !
arrêtez ! où suis-je ? »
Julien et Marie s'enfuirent vers la ville
aussi vite qu'ils le purent.

Mais les crocodiles ont la peau dure.
Il est difficile, même à un hippopotame,
de les blesser. L'Énorme Crocodile reprit
ses esprits et rampa vers un terrain de jeux
réservé aux enfants.
« Maintenant, passons au piège subtil n°2 »
se dit-il. Celui-là fonctionnera, c'est sûr ! »

Pour le moment, il n'y avait pas d'enfants.
Ils étaient tous à l'école. L'Énorme Crocodile
découvrit un grand morceau de bois; le plaçant
au milieu du terrain, il s'y étendit en travers
et replia ses pattes. Il ressemblait presque,
ainsi, à une balançoire.
A l'heure de la sortie, tous les enfants se
précipitèrent vers le terrain de jeux.
« Oh regardez ! crièrent-ils,
on a une nouvelle balançoire ! »

Ils l'entourèrent avec des cris de joie.

« C'est moi le premier !

— Je prends l'autre bout !

— A moi d'abord !

— Non, à moi, à moi ! »

Mais une petite fille, plus âgée que les autres, s'étonna : « Elle me paraît bien noueuse, cette balançoire, non ? vous croyez qu'on peut s'y asseoir sans danger ?

— Mais oui ! reprirent les autres en chœur. C'est du solide ! »

L'Énorme Crocodile entrouvre un œil et observe les enfants qui se pressent autour de lui.

« Bientôt, pense-t-il, l'un d'eux va prendre place sur ma tête, alors... un coup de reins, un coup de dent, et... miam, miam, miam ! »

A cet instant précis, il y eut un éclair brun et quelque chose traversa le terrain de jeux, puis bondit au sommet d'un portique.

C'était Jojo-la-Malice, le singe.

« Filez ! hurla-t-il aux enfants. Allez, filez tous ! filez, filez, filez ! ce n'est pas une balançoire, c'est l'Énorme Crocodile qui veut vous manger ! »

Ce fut une belle panique parmi les enfants
qui détalèrent. Jojo-la-Malice disparut
dans la jungle et l'Énorme Crocodile
se retrouva tout seul.

Maudissant le singe, il se replia vers les buissons pour se cacher.

« J'ai de plus en plus faim ! gémit-il, c'est au moins quatre enfants que je devrai engloutir avant d'être rassasié ! »

L'Énorme Crocodile rôda aux limites de la ville, prenant grand soin de ne pas se faire remarquer.

C'est ainsi qu'il arriva aux alentours d'une place où l'on achevait d'installer une fête foraine. Il y avait là des patinoires, des balançoires, des autos tamponneuses ; on vendait du pop-corn et de la barbe à papa. Il y avait aussi un grand manège.

Le grand manège possédait de ces merveilleuses créatures en bois que les enfants enfourchent : des chevaux blancs, des lions, des tigres, des sirènes et leur queue de poisson, et des dragons effroyables aux langues rouges dardées.

« Passons au piège subtil n°3 !» susurra l'Énorme Crocodile en se léchant les babines.

Profitant d'un moment d'inattention,
il grimpa sur le manège et s'installa entre
un lion et un dragon effroyable.
Les pattes arrière légèrement fléchies,
il se tint parfaitement immobile.
On aurait dit un vrai crocodile de manège.
Bientôt de nombreux enfants envahirent la
fête. Plusieurs coururent vers le manège.
Ils étaient très excités.
« Je prends le dragon !
— Et moi, ce joli petit cheval blanc !
— A moi le lion ! »
Mais une petite fille, nommée Jill :
« Je veux monter sur ce drôle de crocodile
en bois ! »
L'Énorme Crocodile ne bouge pas
d'une écaille, mais il peut apercevoir
la petite fille se diriger vers lui :
« Miam, miam, miam...
je ne vais en faire qu'une bouchée. »
Alors il y eut un froissement d'ailes :
« flip-flap », et quelque chose descendit
du ciel dans un bruissement de plumes
chamarrées, c'était Dodu-de-la-Plume,
l'oiseau.

Il voleta autour du manège, chantant :
« Attention, Jill ! attention ! attention !
ne monte pas sur ce crocodile ! » Jill
s'immobilisa et leva les yeux.

« Ce n'est pas un crocodile en bois !
continua Dodu-de-la-Plume.
C'est un vrai. C'est l'Énorme Crocodile
de la rivière qui veut te manger ! »
Jill fit demi-tour et s'enfuit. Et tous les enfants
s'enfuirent. Même l'homme qui surveillait
le manège quitta son poste et s'enfuit au
plus vite.
L'Énorme Crocodile, maudissant
Dodu-de-la-Plume , se replia vers
les buissons pour s'y cacher.
« Qu'est-ce que j'ai faim ! je pourrais
manger six enfants avant d'être rassasié ! »

Aux alentours immédiats de la ville,
il y avait un joli petit champ entouré d'arbres
et de buissons : au lieu-dit
du « Pique-Nique ».

On y avait disposé des tables
et de grands bancs en bois, et les gens
pouvaient venir s'y installer à tout moment.
L'Énorme Crocodile se glissa
jusqu'à ce champ. Personne en vue !
« Et maintenant, passons au piège
subtil n°4 »,
marmonna-t-il entre ses dents.
Il cueillit une belle brassée de fleurs
qu'il plaça sur une table.
Il ôta un des bancs de cette même table
et le cacha derrière un buisson.

Puis il prit lui-même la place du banc.
En rentrant la tête dans les épaules et
en dissimulant sa queue, il finit par
ressembler exactement à un long banc de
bois.

Bientôt, arrivèrent deux garçons et deux
filles qui portaient des paniers remplis
de victuailles. Ils appartenaient tous à la
même famille et leur mère leur avait donné
la permission d'aller pique-niquer ensemble.
« Quelle table on prend ?
– Celle avec des fleurs ! »
L'Énorme Crocodile se fait aussi discret
qu'une souris.

« Je vais tous les manger ! se dit-il.
Ils vont venir s'asseoir sur mon dos,
je sortirai alors brusquement la tête et je
n'en ferai qu'une bouchée croustillante et
savoureuse. »

C'est alors qu'une grosse voix profonde
retentit dans la jungle :
« Arrière, les enfants ! arrière ! arrière ! »

Les enfants, saisis, scrutèrent l'endroit
d'où provenait la voix. Dans un
craquement de branches, Trompette,
l'éléphant, surgit hors de la jungle.
« Ce n'est pas sur un banc que vous alliez
vous asseoir, barrit-il, c'est sur
l'Énorme Crocodile qui veut vous manger ! »
Trompette fila droit sur l'Énorme Crocodile,
et, rapide comme l'éclair, il enroula

sa trompe autour de la queue de celui-ci,
et le tint suspendu en l'air.
« Aïe, aïe, aïe ! lâche-moi !
gémit l'Énorme Crocodile, la tête en bas,
lâche-moi ! lâche-moi !
– Non ! rétorqua Trompette, je ne te
lâcherai pas ! On en a vraiment plein le dos
de tes pièges subtils ! »
Trompette fit tourner le crocodile dans les airs.
D'abord lentement.
Puis plus vite...

Plus vite…
De plus en plus vite…

Toujours plus vite..
On ne vit bientôt plus de l'Énorme Crocodile
qu'une forme tourbillonnante
au-dessus de la tête de Trompette.

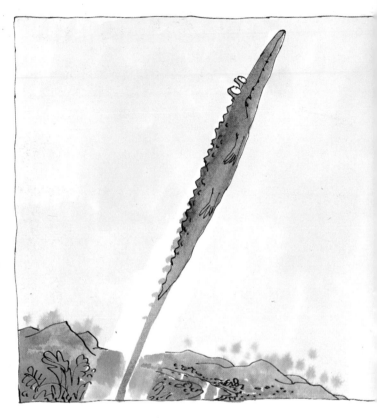

Soudain, Trompette lâcha la queue
du crocodile qui partit dans le ciel
comme une grosse fusée verte.
Haut dans le ciel... de plus en plus haut...
de plus en plus vite...
Il alla si vite et si haut que la terre ne fut
plus qu'un tout petit point en dessous.

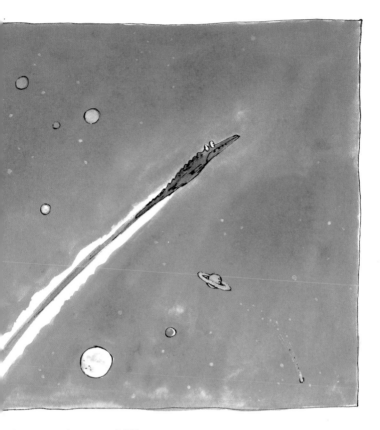

Il passait en sifflant…
whizz… dans l'espace
whizz… il dépassa la lune…
whizz… il dépassa les étoiles et les planètes…
whizz… jusqu'à ce que, enfin…

dans le plus retentissant bang !!...
l'Énorme Crocodile fonce dans le soleil,
tête la première...
Dans le soleil brûlant !!!...
C'est ainsi qu'il grilla comme une saucisse !!!